CONTES

Jacques Prévert

CONTES
pour enfants pas sages

ILLUSTRATIONS

DE

Elsa Henriquez

Editions du Pré aux Clercs

L'AUTRUCHE

Lorsque le petit Poucet abandonné dans la forêt sema des cailloux pour retrouver son chemin, il ne se doutait pas qu'une autruche le suivait et dévorait les cailloux un à un.

C'est la vraie histoire celle-là, c'est comme ça que c'est arrivé...

Le fils Poucet se retourne : plus de cailloux !

Il est définitivement perdu, plus de cailloux, plus de retour ; plus de retour, plus de maison ; plus de maison, plus de papa-maman.

— "C'est désolant", se dit-il entre ses dents.

Soudain il entend rire et puis le bruit des cloches et le bruit d'un torrent, des trompettes, un véritable orchestre, un orage de bruits, une musique brutale, étrange mais pas du tout désagréable et tout à fait nouvelle pour lui. Il passe alors la tête à travers le feuillage et voit l'autruche qui danse, qui le regarde, s'arrête de danser et lui dit :

L'autruche : "C'est moi qui fais ce bruit, je suis heureuse, j'ai un estomac magnifique, je peux manger n'importe quoi.

Ce matin, j'ai mangé deux cloches avec

leur battant, j'ai mangé deux trompettes, trois douzaines de coquetiers, j'ai mangé une salade avec son saladier et les cailloux blancs que tu semais, eux aussi, je les ai mangés. Monte sur mon dos, je vais très vite, nous allons voyager ensemble."

— "Mais, dit le fils Poucet, mon père et ma mère je ne les verrai plus ?"

L'autruche : " S'ils t'ont abandonné, c'est qu'il n'ont pas envie de te revoir de sitôt."

Le Petit Poucet : " Il y a sûrement du vrai dans ce que vous dites, Madame l'Autruche."

L'autruche : " Ne m'appelle pas Madame, ça me fait mal aux ailes, appelle-moi Autruche tout court."

Le Petit Poucet : " Oui, Autruche, mais tout de même, ma mère, n'est-ce pas ! "

L'autruche (en colère) : " N'est-ce pas quoi ? Tu m'agaces à la fin et puis, veux-tu que je te dise, je n'aime pas beaucoup ta mère, à cause de cette maniè qu'elle a de mettre toujours des plumes d'autruche sur son chapeau... "

Le fils Poucet : " Le fait est que ça coûte cher... mais elle fait toujours des dépenses pour éblouir les voisins. "

L'autruche : " Au lieu d'éblouir les voisins, elle aurait mieux fait de s'occuper de toi, elle te giflait quelquefois. "

Le fils Poucet : " Mon père aussi me battait. "

L'autruche : " Ah, Monsieur Poucet te

battait, c'est inadmissible. Les enfants ne battent pas leurs parents, pourquoi les parents battraient-ils leurs enfants, d'ailleurs Monsieur Poucet n'est pas très malin non plus, la première fois qu'il a vu un œuf d'autruche, sais-tu ce qu'il a dit ?"

Le fils Poucet : " Non."

L'autruche : " Eh bien, il a dit : "Ça ferait une belle omelette !"

Le fils Poucet (rêveur) : " Je me souviens, la première fois qu'il a vu la mer, il a réfléchi quelques secondes et puis il a dit :

"Quelle grande cuvette, dommage qu'il n'y ait pas de ponts."

"Tout le monde a ri mais moi j'avais envie de pleurer, alors ma mère m'a tiré les oreilles et m'a dit : "Tu ne peux pas rire comme les autres quand ton père plaisante!" Ce n'est pas ma faute, mais je n'aime pas les plaisanteries des grandes personnes..."

L'autruche : "...Moi non plus, grimpe sur mon dos, tu ne reverras plus tes parents, mais tu verras du pays."

— "Ça va", dit le petit Poucet et il grimpe.

Au grand triple galop l'oiseau et l'enfant démarrent et c'est un très gros nuage de poussière.

L'AUTRUCHE

Sur le pas de leur porte, les paysans hochent la tête et disent : "Encore une de ces sales automobiles!"

Mais les paysannes entendent l'autruche qui carillonne en galopant : "Vous entendez les cloches, disent-elles en se signant, c'est une église qui se sauve, le diable sûrement court après."

Et tous de se barricader jusqu'au lendemain matin, mais le lendemain l'autruche et l'enfant sont loin.

L'AUTRUCHE

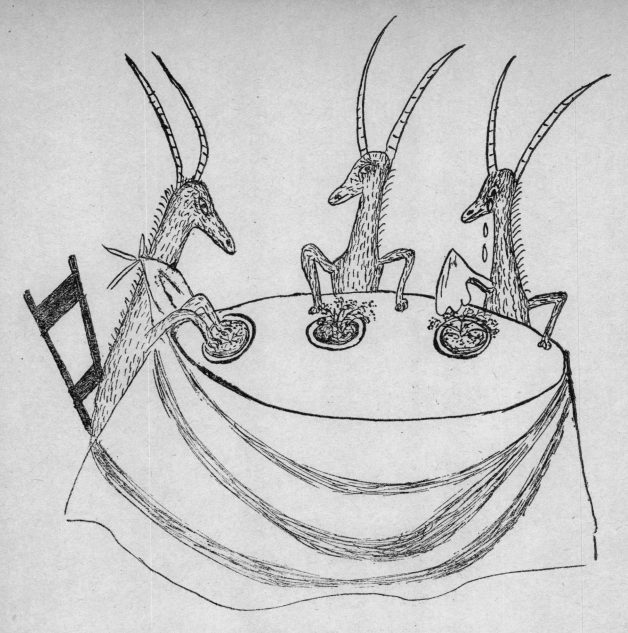

SCÈNE DE LA VIE DES ANTILOPES

SCÈNE DE LA VIE DES ANTILOPES

En Afrique, il existe beaucoup d'antilopes ; ce sont des animaux charmants et très rapides à la course.

Les habitants de l'Afrique sont les hommes noirs, mais il y a aussi des hommes blancs, ceux-là sont de passage, ils viennent pour faire des affaires, et ils ont besoin que les noirs les aident ; mais les noirs aiment mieux danser que construire des routes ou des chemins de fer, c'est un travail très dur pour eux et qui souvent les fait mourir.

Quand les blancs arrivent, souvent les noirs se sauvent, les blancs les attrapent au lasso, et les noirs sont obligés de faire le chemin de fer ou la route, et les blancs les appellent des " travailleurs volontaires ".

Et ceux qu'on ne peut pas attraper parce qu'ils sont trop loin et que le lasso est trop

court, ou parce qu'ils courent trop vite, on les attaque avec le fusil, et c'est pour ça que quelquefois une balle perdue dans la montagne tue une pauvre antilope endormie.

Alors, c'est la joie chez les blancs et chez les noirs aussi, parce que d'habitude les noirs sont très mal nourris, tout le monde redescend vers le village en criant :

"Nous avons tué une antilope", et en font beaucoup de musique.

Les hommes noirs tapent sur des tambours et allument de grands feux, les hommes blancs les regardent danser, le lendemain ils écrivent à leurs amis : "Il y a eu un grand tam-tam c'était tout à fait réussi!"

En haut, dans la montagne les parents, et les camarades de l'antilope se regardent sans rien dire... ils sentent qu'il est arrivé quelque chose...

... Le soleil se couche et chacun des animaux se demande sans oser élever la voix pour ne pas inquiéter les autres : "Où a-t-elle pu aller, elle avait dit qu'elle serait rentrée à 9 heures... pour le dîner!"

Une des antilopes, immobile sur un rocher, regarde le village, très loin tout en bas, dans la vallée, c'est un tout petit village, mais il y a beaucoup de lumière et des chants et des cris... un feu de joie.

Un feu de joie chez les hommes, l'antilope a compris, elle quitte son rocher et va retrouver les autres et dit :

"Ce n'est plus la peine de l'attendre, nous pouvons dîner sans elle..."

Alors toutes les autres antilopes se mettent à table, màis personne n'a faim, c'est un très triste repas.

LE DROMADAIRE MÉCONTENT

LE DROMADAIRE MÉCONTENT

Un jour, il y avait un jeune dromadaire qui n'était pas content du tout.

La veille, il avait dit à ses amis : "Demain, je sors avec mon père et ma mère, nous allons entendre une conférence, voilà comme je suis moi !"

Et les autres avaient dit : "Oh, oh, il va entendre une conférence, c'est merveilleux", et lui n'avait pas dormi de la nuit tellement il était impatient et voilà qu'il n'était pas content parce que la conférence n'était pas du tout ce qu'il avait imaginé : il n'y avait pas de musique et il était déçu, il s'ennuyait beaucoup, il avait envie de pleurer.

Depuis une heure trois quarts un gros monsieur parlait. Devant le gros monsieur, il y avait un pot à eau et un verre à dents sans la brosse et de temps en temps, le monsieur versait de l'eau dans le verre, mais il ne se lavait jamais les dents et visiblement irrité il parlait d'autre chose, c'est-à-dire des dromadaires et des chameaux.

Le jeune dromadaire souffrait de la chaleur, et puis sa bosse le gênait beaucoup ; elle frottait contre le dossier du

fauteuil, il était très mal assis, il remuait.

Alors sa mère lui disait : " Tiens-toi tranquille, laisse parler le monsieur ", et elle lui pinçait la bosse, le jeune dromadaire avait de plus en plus envie de pleurer, de s'en aller...

Toutes les cinq minutes, le conférencier répétait : " Il ne faut surtout pas confondre les dromadaires avec les chameaux, j'attire mesdames, messieurs et chers dromadaires, votre attention sur ce fait : le chameau a deux bosses mais le dromadaire n'en a qu'une ! "

Tous les gens de la salle disaient : " Oh, oh, très intéressant ", et les chameaux, les dromadaires, les hommes,

les femmes et les enfants prenaient des notes sur leur petit calepin.

Et puis le conférencier recommençait : "Ce qui différencie les deux animaux, c'est que le dromadaire n'a qu'une bosse, tandis que, chose étrange et utile à savoir, le chameau en a deux..."

A la fin le jeune dromadaire en eut assez et se précipitant sur l'estrade, il mordit le conférencier :

" Chameau ! " dit le conférencier furieux.

Et tout le monde dans la salle criait : "Chameau, sale chameau, sale chameau!"

Pourtant c'était un dromadaire, et il était très propre.

L'ÉLÉPHANT
DE MER

L'ÉLÉPHANT DE MER

Celui-là c'est l'éléphant de mer, mais il n'en sait rien. L'éléphant de mer ou l'escargot de Bourgogne, ça n'a pas de sens pour lui, il se moque de ces choses-là, il ne tient pas à être quelqu'un.

Il est assis sur le ventre parce qu'il se trouve bien assis comme ça : chacun a le droit de s'asseoir à sa guise.

Il est très content parce que le gardien lui donne des poissons, des poissons vivants.

Chaque jour, il mange des kilos et
des kilos de poissons vivants, c'est em-
bêtant pour les poissons vivants parce
qu'après ça ils sont morts, mais chacun
a le droit de manger à sa guise...

Il les mange sans faire de manières,

très vite tandis que l'homme quand il mange une truite, il la jette d'abord dans l'eau bouillànte et après l'avoir mangée, il en parle encore pendant des jours, des jours et des années.

"Ah, quelle truite, mon cher, vous vous souvenez!" etc... etc...

Lui, l'éléphant de mer, mange simplement, il a un très bon petit œil, mais quand il est en colère, son nez en forme de trompe se dilate et ça fait peur à tout le monde.

Son gardien ne lui fait pas de mal... On ne sait jamais ce qui peut arriver...

Si tous les animaux se fâchaient, ce serait une drôle d'histoire.

Vous voyez ça d'ici, mes petits amis,

l'armée des éléphants de terre et de mer arrivànt à Paris. Quel gâchis...

L'éléphant de mer ne sait rien faire d'autre que de manger du poisson, mais c'est une chose qu'il fait très bien. Autrefois, il y àvait parait-il des éléphants de mer qui jonglaient avec des armoires à glace, mais on ne peut pas savoir si c'est vrai... personne ne veut plus prêter son armoire !

L'armoire pourrait tomber, la glace pourrait se casser, ça ferait des frais, l'homme aime bien les animaux, mais il tient davantage à ses meubles...

... L'éléphant de mer, quand on ne l'ennuie pas, est heureux comme un roi, beaucoup plus heureux qu'un roi, parce qu'il peut s'asseoir sur le ventre quand ça lui fait plaisir alors que le roi, même sur le trône, est toujours assis sur son derrière.

L'OPÉRA DES GIRAFES

Opéra triste
en plusieurs tableaux

Comme les girafes sont muettes, la chanson reste enfermée dans leur tête.

C'est en regardant très attentivement les girafes dans les yeux qu'on peut voir si elles chantent faux ou si elles chantent vrai.

PREMIER TABLEAU

Chœur des Girafes

Refrain : " Il y avait une fois des girafes
Il y avait beaucoup de girafes.

Bientôt il n'y en aura plus
C'est monsieur l'homme qui les tue.

Couplet : Les grandes girafes sont muettes
Les petites girafes sont rares.

L'OPÉRA DES GIRAFES

Sur la place de la Muette
J'ai vu un vieux vieillard
Avec beaucoup de poil dessus,
Le poil c'était son pardessus
Mais par-dessus son pardessus
Il était tout à fait barbu.
Par-dessus le poil de girafe
Barbe dessus en poil de vieillard.
Elles sont muettes les grandes girafes,
Mais les petites girafes sont rares. ”

DEUXIÈME TABLEAU

Place de la Muette (à Paris)

Le vieux vieillard de la chanson traverse
la place en faisant des moulinets avec sa
canne.

Le vieux vieillard (il chante) :
"Une hirondelle ne fait pas le printemps
Mais mon pàrdessus fera bien cet hiver.
Une hirondelle..."

Soudain un autre vieillard vient à sa rencontre et comme il connait le premier et que le premier le connait également, ils s'arrêtent en face l'un de l'autre, enlèvent leur chapeau de dessus leur tête, le remettent, toussent un peu et se demandent comment ça va, répondent que ça va bien, comme ci, comme ça, pas mal et vous-même, la petite famille très bien, merci beaucoup et puis ils en arrivent à la conversation proprement dite :

Premier vieux vieillard : "Très très content de vous voir..."

Second vieux vieillard : "Moi de même, et votre fils toujours aux colonies, comment va-t-il et que fait-il, combien gagne-t-il, de quoi trafique-t-il, bois précieux, noix de coco, bois des îles ?"

Premier vieux vieillard (très fier) : "Non, les girafes !"

Second vieux vieillard : Ah parfait, très bien, très bien, les girafes (il tâte l'étoffe du pardessus). Eh! Eh! c'est de là girafe de première qualité, votre fils fait bien les choses..."

A cet instant deux girafes traversent lentement et sans rien dire la place de la Muette et les deux vieillards font semblant de ne pas les reconnaître, surtout le vieillard au pardessus, il est horriblement gêné

L'OPÉRA DES GIRAFES

L'OPÉRA DES GIRAFES

et pour se faire bien voir des girafes, il chante leurs louanges et l'autre vieillard chante avec lui :

Chœur des deux vieillard :

> "Ah ! le temps des girafes
> C'était le bon vieux temps,
> Dans une petite mansarde
> Avec une grande girafe
> Qu'on est heureux à vingt ans
> *(bis)."*

Refrain : "Mais il reviendra le temps des [girafes…"

… à l'instant même où les deux vieillards annoncent que le temps des girafes va revenir, les deux girafes s'en vont en haussant les épaules.

Troisième Tableau

Aux colonies

Le fils du vieux vieillard se promène avec un de ses amis, ils ont chacun un fusil.

Le fils qui regardait en l'air aperçoit la tête d'une girafe, baisse le regard et voyant la girafe toute entière entre dans une grande colère.

Le fils : "Sortez du monde, girafe,
        Sortez, je vous chasse !"

Il vise, il tire, la girafe tombe, il met le pied dessus, son ami le photographie...
... Soudain le fils pâlit : "Quelle mouche vous pique ?" lui dit son ami.

Le fils : " Je ne sais pas... "

Il lâche son fusil, tombe sur la girafe et s'endort pour un certain nombre d'années, la mouche qui l'a piqué est une mauvaise mouche, c'est la mouche tsé-tsé...

L'ami le voit, comprend, s'enfuit et la grosse mouche mauvaise le poursuit...

La girafe est tombée, l'homme est tombé aussi, la nuit tombe à son tour et la lune éclaire la nuit...

... Le fils est endormi, on dirait qu'il est mort, la girafe est morte, on dirait qu'elle dort.

CHEVAL DANS UNE ILE

Celui-là c'est le cheval qui vit tout seul quelque part très loin dans une île.

Il mange un peu d'herbe, derrière lui, il y a un bateau, c'est le bateau sur lequel le cheval est venu, c'est le bateau sur lequel il va repartir.

Ce n'est pas un cheval solitaire, il aime beaucoup la compagnie des autres chevaux, tout seul, il s'ennuie, il voudrait faire quelque chose, être utile aux autres. Il continue à manger de l'herbe et pendant qu'il mange, il pense à son grand projet.

Son grand projet c'est de retourner chez les chevaux pour leur dire :

" Il faut que cela change " et les chevaux demanderont :

" Qu'est-ce qui doit changer ? " et lui, il répondra :

" C'est notre vie qui doit changer, elle est trop misérable, nous sommes trop malheureux, cela ne peut pas durer. "

Mais les plus gros chevaux, les mieux nourris, ceux qui traînent les corbillards des grands de ce monde, les carrosses des rois et qui portent sur la tête un grand chapeau de paille de riz, voudront l'empê-

CHEVAL DANS UNE ILE

cher de parler et lui diront :

" De quoi te plains-tu, cheval, n'es-tu pas la plus noble conquête de l'homme ? "

Et ils se moqueront de lui.

Alors tous les autres chevaux, les pauvres traîneurs de camion n'oseront pas donner leur avis.

Mais lui, le cheval qui réfléchit dans l'île, il élèvera la voix :

" S'il est vrai que je suis la plus noble conquête de l'homme, je ne veux pas être en reste avec lui.

" L'homme nous a comblés de cadeaux, mais l'homme a été trop généreux avec nous, l'homme nous a donné le fouet, l'homme nous a donné la cravache, les éperons, les œillères, les brancards, il nous a mis du fer dans la bouche et du fer sous les pieds, c'était froid, mais il nous a marqués au fer rouge pour nous réchauffer...

"Pour moi, c'est fini, il peut reprendre ses bijoux, qu'en pensez-vous? Et pourquoi a-t-il écrit sérieusement et en grosses lettres sur les murs... sur les murs de ses écuries, sur les murs de ses casernes de cavalerie, sur les murs de ses abattoirs, de ses hippodromes et de ses boucheries hippophagiques (1) : Soyez bons pour les Animaux, avouez tout de même que c'est se moquer du monde des chevaux !"

"Alors, tous les autres pauvres chevaux commenceront à comprendre et tous

(1) *Note pour les chevaux pas instruits* : Hippophage : celui qui mange le cheval.

ensemble ils s'en iront trouver les hommes et ils leur parleront très fort."

Les chevaux : "Messieurs, nous voulons bien traîner vos voitures, vos charrues, faire vos courses et tout le travail, mais reconnaissons que c'est un service que nous vous rendons, il faut nous en rendre aussi ; souvent, vous nous mangez quand nous sommes morts, il n'y a rien à dire là-dessus, si vous aimez ça, c'est comme pour le petit déjeuner du matin, il y en a qui prennent de l'avoine au café au lit, d'autres de l'avoine au chocolat, chacun ses goûts, mais souvent aussi, vous nous frappez, cela, ça ne doit plus se reproduire.

"De plus, nous voulons de l'avoine tous les jours ; de l'eau fraîche tous les jours

CHEVAL DANS UNE ILE

et puis des vacances et qu'on nous res-
pecte, nous sommes des chevaux, on n'est
pas des bœufs.

" Premier qui nous tape dessus on le mord.

" Deuxième qui nous tape dessus on le tue, voilà. "

Et les hommes comprendront qu'ils ont été un peu fort, ils deviendront plus ràisonnables.

Il rit le cheval en pensant à toutes ces choses qui arriveront sûrement un jour.

Il a envie de chanter, mais il est tout seul, et il n'aime que chanter en chœur, alors il crie tout de même : " Vive la liberté. "

Dans d'autres îles, d'autres chevaux l'entendent et ils crient à leur tour de toutes leurs forces : " Vive là liberté. "

Tous les hommes des îles et ceux du

continent entendent des cris et se demandent ce que c'est, puis ils se rassurent et
disent en haussant les épaules : "Ce n'est
rien, c'est des chevaux."

Mais ils ne se doutent pas de ce que les
chevaux leur préparent.

JEUNE LION EN CAGE

Captif, un jeune lion grandissait et plus il grandissait, plus les barreaux de sa cage grossissaient, du moins c'est le jeune lion qui le croyait... en réalité, on le changeait de cage pendant son sommeil.

Quelquefois, des hommes venaient et lui jetaient de la poussière dans les yeux, d'autres lui donnaient des coups de canne sur la tête et il pensait : " Ils sont méchants et bêtes mais ils pourraient l'être davantage, ils ont tué mon père, ils ont tué ma mère, ils ont tué mes frères, un jour sûrement ils me tueront, qu'est-ce qu'ils attendent?"

Et il attendait aussi.

Et il ne se passait rien.

Un beau jour : du nouveau... les garçons de la ménagerie placent des bancs devant la cage, des visiteurs entrent et s'installent.

Curieux le lion les regarde...

Les visiteurs sont assis... ils semblent attendre quelque chose... un contrôleur vient voir s'ils ont bien pris leurs tickets, il y a une dispute, un petit monsieur s'est placé au premier rang... il n'a pas de ticket... alors le contrôleur le jette dehors

JEUNE LION EN CAGE

à coups de pied dans le ventre, tous les autres applaudissent.

Le lion trouve que c'est très amusant et croit que les hommes sont devenus plus gentils et qu'il viennent simplement voir comme ça en passant :

"Ça fait bien dix minutes qu'ils sont là, pense-t-il, et personne ne m'a fait de mal, c'est exceptionnel, ils me rendent visite en toute simplicité, je voudrais bien faire quelque chose pour eux..."

Mais la porte de la cage s'ouvre brusquement et un homme apparait en hurlant :

"Allez Sultan, saute Sultan!"
et le lion est pris d'une légitime inquiétude car il n'a encore jamais vu de dompteur.

JEUNE LION EN CAGE

Le dompteur a une chaise dans la main, il tape avec la chaise contre les barreaux de la cage, sur la tête du lion, un peu partout, un pied de la chaise casse, l'homme jette la chaise et sortant de sa poche un gros revolver, il se met à tirer en l'air.

"Quoi? dit le lion, qu'est-ce que c'est que ça, pour une fois que je reçois du monde, voilà un fou, un énergumène qui entre ici sans frapper, qui brise les meubles et qui tire sur mes invités, ce n'est pas comme il faut" et sautant sur le dompteur, il entreprend de le dévorer plutôt par désir de faire un peu d'ordre que par pure gourmandise...

Quelques-uns des spectateurs s'éva-

nouissent, la plupart se sauvent, le reste se précipite vers la cage et tire le dompteur par les pieds on ne sait pas trop pourquoi, mais l'affolement c'est l'affolement n'est-ce pas?

Le lion n'y comprend rien, ses invités le frappent à coup de parapluie, c'est un horrible vacarme.

Seul un Anglais reste assis dans son

coin et répète : " Je l'avais prévu, ça devait arriver, il y a dix ans que je l'avais prédit..."

Alors, tous les autres se retournent contre lui et crient :

" Qu'est-ce que vous dites ?... c'est de votre faute tout ce qui arrive, sale étranger, est-ce que vous avez seulement payé votre place ? " etc., etc...

Et voilà l'Anglais qui reçoit lui aussi des coups de parapluie...

" Mauvaise journée pour lui aussi ! " pense le lion.

LES PREMIERS ANES

Autrefois, les ânes étaient tout à fait sauvages, c'est-à-dire qu'ils mangeaient quand ils avaient faim, qu'ils buvaient quand ils avaient soif et qu'ils couraient dans l'herbe quand ça leur faisait plaisir.

Quelquefois, un lion venait qui mangeait un âne alors tous les autres ânes se sauvaient en criant comme des ânes, mais le lendemain ils n'y pensaient plus et recommençaient à braire, à boire, à man-

Elsa Henriques

ger, à courir, à dormir... En somme, sauf les jours où le lion venait, tout marchait assez bien.

Un jour, les rois de la création (c'est comme ça que les hommes aiment à s'appeler entre eux) arrivèrent dans le pays des ânes et les ânes très contents de voir du nouveau monde galopèrent à la rencontre des hommes.

Les ânes (ils parlent en galopant) : " Ce sont de drôles d'animaux blêmes, ils marchent à deux pattes, leurs oreilles sont très petites, ils ne sont pas beaux mais il faut tout de même leur faire une petite réception... c'est la moindre des choses..."

Et les ânes font les drôles, ils se roulent dans l'herbe en agitant les pattes, ils

chantent la chanson des ânes et puis histoire de rire ils poussent les hommes pour
les faire un tout petit peu tomber par
terre ; mais l'homme n'aime pas beaucoup
la plaisanterie quand ce n'est pas lui qui
plaisante et il n'y a pas cinq minutes que
les rois de la création sont dans le pays des
ânes que tous les ânes sont ficelés comme
des saucissons.

Tous, sauf le plus jeune, le plus tendre, celui-là mis à mort et rôti à la broche avec autour de lui les hommes le couteau à la main. L'âne cuit à point les hommes commencent à manger et font une grimace de mauvaise humeur puis jettent leur couteau par terre.

L'un des hommes (il parle tout seul) : "Ca ne vaut pas le bœuf, ça ne vaut pas le bœuf!"

Un autre : "Ce n'est pas bon, j'aime mieux le mouton!"

Un autre : "Oh que c'est mauvais (il pleure)."

Et les ânes captifs voyant pleurer l'homme pensent que c'est le remords qui lui tire les larmes.

On và nous laisser partir, pensent les
ânes, mais les hommes se lèvent et parlent
tous ensemble en faisant de grands gestes.

Chœur des hommes : " Ces animaux ne
sont pas bons à manger, leurs cris sont
désagréables, leurs oreilles ridiculement
longues, ils sont sûrement stupides et ne
savent ni lire, ni compter, nous les appel-
lerons des ânes parce que tel est notre
bon plaisir et ils porteront nos paquets.

" C'est nous qui sommes les rois, en
avant ! "

Et les hommes emmenèrent les ânes.

LES PREMIERS ANES

Achevé d'imprimer le
15 Mars 1947 sur les
presses de l'imprimerie
F. Bouchy et Fils a Paris.

Dépot légal 1er trimestre 1947
Numéro d'Éditeur   23
Numéro d'Imprimeur 114